P9-CRL-847

R·TAIT·MCKENZIE
SCULPTOR

Robert Tait McKenzie 1867–1938
Sculptor of Athletes/Sculpteur d'athlètes

by/par Richard Graburn
The Nickle Arts Museum, Calgary

An exhibition organized by/une exposition organisée par
The Nickle Arts Museum, Calgary, Canada
22 January–13 March 1988/22 janvier–13 mars 1988

ISBN: 0-88953-097-1

Design: Charles Cousins, Calgary
Typesetting: Walford and Foy
Printing: Paperworks Press Limited
Photography: John Dean, Calgary
English Editor: Peter Smith, Brockville, Ontario
French Translation: Serge Berárd, Vancouver, B.C.

Cover Illustration: *Plunger*, 1925
Bronze, height 61.5 cm
Inscription under heel: *R. Tait McKenzie*
Collection: The Art Gallery of Ontario, Toronto
Gift of Mrs. Thomas Bradshaw, 1950

Frontispiece: Plaster medallion of the artist facing left
Size and whereabouts unknown
Photo: McKenzie Archives, University of Pennsylvania

ISBN : 0-88953-097-1

Graphisme : Charles Cousins, Calgary
Photographie : John Dean, Calgary
Typographie : Walford and Foy
Impression : Paperworks Press
Rédacteur anglais : Peter Smith, Brockville, Ontario
Traduction français : Serge Bérard, Vancouver, B.C.

Couverture : *Plongeur*, 1925
Bronze, 61,5 cm de h.
inscrit : sur la base, sous le talon : *R. Tait McKenzie*
collection du musée des beaux-arts de l'Ontario, don de Mme Thomas Bradshaw, 1950

Frontispice : Médaillon emplâtre de R. Tait McKenzie
Dimensions et location inconnu.
Photo : Archives, université de Pennsylvanie.

Lenders to the Exhibition

Art Gallery of Ontario, Toronto
Lloyd P. Jones Gallery, University of Pennsylvania, Philadelphia
R. Tait McKenzie Memorial Museum, Mill of Kintail Conservation Area, Almonte, Ontario (Mississippi Valley Conservation Authority)
McCord Museum, McGill University, Montreal
Montreal Museum of Fine Arts, Montreal
National Archives of Canada, Documentary Art and Photography Division, Ottawa
Royal Canadian Academy of Arts, Toronto

Liste des prêteurs

L'Académie royale des arts du Canada, Toronto
Les Archives nationales du Canada, division de l'art et de la photographie, Ottawa
La Lloyd P. Jones Gallery, université de Pennsylvanie, Philadelphie
Le R. Tait McKenzie Memorial Museum, Mill of Kintail Conservation Area, Almonte, Ontario (Mississippi Valley Conservation Authority)
Le Musée des beaux-arts de l'Ontario, Toronto
Le Musée des beaux-arts de Montréal, Montréal
Le Musée McCord, université McGill, Montréal

Foreword

When artistry is brought to bear on the fields of medicine and physical education, the result is brilliant achievement in all three. Sculptor, doctor, and physical educator, Robert Tait McKenzie was a leader and innovator who profoundly influenced subsequent generations.

Although McKenzie's name had been familiar to me from my undergraduate years in physical education, I was not aware of the full extent of his artistic talent until I saw the Scottish-American War Memorial in Edinburgh. A few years later, wandering through his studio at the Mill of Kintail and seeing the plasters of many of his great athletic sculptures made me realize as never before the true beauty of sport movement. The speed of action in sport often disguises the grace and power of the athlete, but McKenzie was able to isolate the crucial moment and body position. To recognize that this man had spent the majority of his professional life in the service of physical education, and that most of his sculptures portrayed athletic themes, provided me a sense of pride in a profession not always esteemed by the public.

Whenever possible in my travels I made side-trips to locations of McKenzie's work. An afternoon spent at the University of Pennsylvania's large collection was a true pleasure. It was there that I first saw a smaller version of *Brothers of the Wind*, McKenzie's bronze relief of speedskaters. I was delighted when I learned that the larger frieze had been purchased for the Olympic Oval, for I feel that every Faculty of Physical Education should have a Tait McKenzie work to remind us of the beauty of athletic performance. This acquisition suggested to Richard Graburn, Director of The Nickle Arts Museum, the idea of presenting a collection of McKenzie works during the Olympic Winter Games in Calgary in 1988.

It is appropriate that McKenzie's sculptures should have a permanent place in The University of Calgary's Olympic facilities, and that this exhibition of his works should be featured during the Olympic Games: Robert Tait McKenzie was an advocate of the Olympic ideal throughout his life.

Jean M. Leiper, Ph.D.
Professor
Faculty of Physical Education
January 1988

Preface and Acknowledgements

I was delighted several years ago when colleagues of mine at The University of Calgary were kind enough to encourage me to organize this exhibition of Tait McKenzie's sculptural work. Since then I have been further encouraged by the kindness of the staffs of the Canadian and American institutions that have made the exhibition possible by the loan of works from their collections. The largest single loan has come from the University of Pennsylvania's Gimble Gymnasium, where a singular collection of McKenzie's work is on view in the Lloyd P. Jones Gallery and Court. I am exceedingly grateful to Professor Robert A. Glasscott, Intramural Recreation and Sport Director, for his support of the exhibition.

Research on the artist in the University of Pennsylvania Archives was made pleasurable with the helpful assistance of Maryellen Kaminsky who made the McKenzie papers available to me.

It is to Dr. Andrew J. Kozar, however, that I owe a great debt in the development of this catalogue. In his fine and sensitive assessment of McKenzie's work in his 1975 book *R. Tait McKenzie, The Sculptor of Athletes*, I found much material that I have digested and included here. Of great help as well was Joan McGill's 1980 biography of the artist *The Joy of Effort: A Biography of R. Tait McKenzie*.

At the Museum I have appreciated the assistance of our Registrar Mrs. Marlene Smith, and of my secretary Mrs. Angela Davis-Hall. The encouragement of the Museum's Board of Directors, and of its Chair, Dr. Lorna Cammaert, confirmed my desire to have our Museum participate in a meaningful way in the XV Olympic Winter Games in 1988 in Calgary.

Finally, I wish to thank the Museum Assistance Programmes of the National Museums of Canada: without its generous grant, the exhibition, and particularly this catalogue, could not have been produced.

Richard Graburn
Director
The Nickle Arts Museum
January 1988

Robert Tait McKenzie 1867–1938
Sculptor of Athletes

Picture for a moment Robert Tait McKenzie standing alone in his first real studio—a tower-attic in a campus building—with his career at the University of Pennsylvania in Philadelphia just under way, and you will have some understanding of a man on the brink of fulfillment.

He had at last found a place to pursue his art seriously. What thoughts must have occupied him in this autumn of 1904! The Edwardian gentleman, the surgeon, the sports participant and enthusiast, the teacher—at the age of 39, he was now on his way to a multi-faceted and successful career that a man of the Renaissance might have envied.

His adventures in Europe the previous summer and the critical support he had received for his early sculptures had both set him on a path as a sculptor, among the other brilliant enterprises of his life.

There are a number of informative books about McKenzie's life and indeed he wrote a great deal about himself, particularly on the subjects of Physical Education and Medicine. While this account is focused on his life as an artist, it must inescapably be informed by his other careers and interests.

McKenzie's early biographer, Christopher Hussey, has said:

> At heart McKenzie is a thinker before he is an artist, a scientist before a sculptor, yet beauty for him is not a thing apart from life, but organically one with humanity. . . He has a classical mind. Beauty for him is the human form in perfect health seen in graceful movement . . . the endless potentialities of life is *(sic)* what he more deeply feels and is the purpose that gives his sculptured forms their significance, their beauty.[1]

This exhibition includes works from seven public collections in Canada and the United States. The selection is intended to highlight the artist's life-long focus on the athlete in sculptural and medallic form—and as a tribute to the XV Olympic Winter Games in Calgary. It is but a sampling of the many works he created in his lifetime.

RTM

Born in what would soon become Almonte, Ontario, in 1867, the year most of British North America became the Dominion of Canada, Robert Tait McKenzie was the son of a Presbyterian minister who had come to Canada from the Highlands of Scotland. His father died nine years after his birth, and it was a reasonably hard life thereafter for young Robert, his mother and his two brothers and a sister. As a schoolboy in Almonte, he was not a scholar, but he benefited from the single-mindedness of a number of good teachers. At the age of 18, he was able to enter McGill University in Montreal as a pre-med student.

It was at McGill that McKenzie discovered athletics, particularly gymnastics and other sports where agility rather than endurance were required. Indeed, the development of his physical skills seems to have been uppermost in his mind during his university days; the academic side merely proceeded as it must. Each summer he worked to finance the following year, and his largely outdoor activities (surveying in Manitoba and Alberta, a stint in his uncle's lumber yard in Georgian Bay, and work on the Montreal docks), were to him more interesting than his academic studies.

Nonetheless, McKenzie graduated as a medical doctor in 1892. Seven years at school had seen him become more and more involved with sports and with physical education. For two of these years he had been an instructor in Gymnastics, and he continued this work even as he now served his internship at Montreal General Hospital.

In 1894 McKenzie was appointed as the first-ever medical director of Physical Training at McGill University. Until 1904 he held several other positions, including instructor in Physical Culture, as well as demonstrator and lecturer in Anatomy. However, his hopes for inaugurating a Physical Education department, while heartily accepted in principle by the university authorities, were not financially feasible at that time.

During this period in Montreal McKenzie developed a circle of friends of literary and artistic disposition and talents. He belonged to a Pen and Pencil club and found relaxation and pleasure in watercolour sketching, filling innumerable notebooks with life drawings, portraits, or details of architecture or draperies. He visited Boston often and taught at the Montreal Art Association. His early paintings were considered good enough for acceptance in the Royal Canadian Academy in 1898.

In the summer of 1894, the Earl of Aberdeen, Governor-General of Canada, took a house for the summer in Montreal. He was looking for a swimming instructor for his sons and through contacts McKenzie was persuaded to take the position himself. This small and seemingly casual employment extended his education socially and led to contacts and friendships abroad which were to prove rewarding both personally and professionally beyond anything he could have foreseen. In 1895 he accompanied the boys on a trip to England and Scotland which was to give him his first look at the lifestyles of nobility abroad. That same summer he accepted a fifteen-month post as personal physician to the Governor-General's household and spent time at Rideau Hall in Ottawa and abroad in France and England.

Returning to private practice in Montreal in 1896, he became more involved in his own art, slowly realizing that his interests lay in three-dimensional work. Watching athletes at the university, their facial features, expressions, and musculature began to intrigue him. He began to collect data on physical effort. In the winter of 1899 he ventured into relief work in sculpture, aided by the advice of Louis-Phillipe Hébert and George W. Hill, two noted sculptors with established reputations.

The early works he finished just after the turn of the century admirably combine his knowledge of anatomy with his observations of the athlete in action (see fig. 1). They were criticized for this very reason, as being too mechanical, particularly in works where measurements of a number of athletes were used to produce an ideal model (see fig. 2).

McKenzie was learning from all his experiences however. His developing association with a number of artists, combined with a growing knowledge of modelling and casting techniques, both illuminated by his unique observations of his subjects, were to give his work power, simplicity, and refinement.

His disappointment at being unable to convince McGill University to develop a physical education department led him to apply for the position of Director of Physical Education at the University of Pennsylvania where a new gymnasium and Franklin Field were just being completed. These were perhaps the finest facilities on the continent at that time.

Philadelphia offered many new and important experiences for McKenzie, not the least of which were the many artists and fine-arts facilities that have made the city prominent in painting, sculpture and photography. McKenzie spent the summer of 1904 in Europe and had an opportunity to work with and visit prominent artists both European and North American. He had the opportunity to work on his own in a studio, and to see his *Athlete* (fig. 2) on display at the Royal Academy in London.

With his own studio in the same building as his office, and with the hundreds of young men he would encounter in his classes and athletic competitions to serve as models, he was now beginning a period in his life that would see the advancement of both his work as a physical educator and as an artist.

He was about to abandon his interests in anthropometry in favour of more traditional methods of sculpting. During that summer in Paris, McKenzie felt he had made progress in his work. He had begun work on *Boxer* (fig. 3), and had completed and shown it later that year. As he became established in his new and inspiring surroundings he began to work on medals and plaques—work that has often been given the highest praise for both design and execution. Indeed some of McKenzie's finest work is in this medium, whether small sports commemoratives or large wall pieces like *The Joy of Effort*, 1912, 269 cm in diameter (a small, revised version is shown as fig. 6) set in the Stadium wall in Stockholm, Sweden, or *Shield of Athletes*, 1932 (fig. 15).

McKenzie travelled extensively throughout his life, often abroad. He kept in touch with friends in the United Kingdom, and in 1907 met and married Ethel O'Neil, another Canadian, in Dublin. His long friendship with the Aberdeens proved very socially useful: the Earl and Countess arranged for them to be married in the Chapel Royal, Dublin Castle, and take a brief honeymoon at the vice-regal residence.

Ethel was an excellent choice as a wife: a fine musician and teacher, she enhanced the McKenzie household in Philadelphia. On the Sunday mornings when young athletes came to pose for McKenzie in his studio in their house, they would often be entertained by Ethel's piano. A charming hostess, sharing her husband's love of entertaining, Ethel created a welcoming atmosphere. Their home became a focus for witty and entertaining gatherings.

The years before the First World War were productive in every aspect: McKenzie worked on a number of small sculptures, continued his medallic work, and was given his first commission, the *Youthful Franklin* (1910–14) by the Class of 1904 at the University of Pennsylvania. This eight-foot bronze stands outside Weightman Hall, University of Pennsylvania. Among the sculptures completed in this period are *Supple Juggler*, 1906; *Competitor*, 1906; *Relay Runner*, 1910 (fig. 4); *Onslaught*, 1911 (fig. 5); dozens of small *modellos* (plaster or bronze sketches, usually about nine or ten inches high); some signficant medals and plaques, among them "*W*" (which stands for University of Wisconsin) 1913 and *Joy of Effort*, 1914.

Deeply concerned about the war, McKenzie joined the British Army as a Canadian volunteer. His knowledge and talents were put to use in rehabilitating men wounded in the fighting in France, through surgery and physiotherapy.

Though preoccupied with these duties, he began work on his magnetic bronze *Blighty*, 1919, depicting a seated Seaforth Highlander, now in the collection of H.M. the Queen at Balmoral Castle, Scotland.

The post-war years were full of activity: McKenzie showed regularly in exhibitions in North America and Europe and was particularly keen to enter works in competitions for Olympic Games. His medallic work was gaining great recognition as were his works of public and memorial sculpture.

In 1930 McKenzie bought an old mill near Almonte, Ontario, his boyhood home. After some remodelling, it served as a summer home and studio for him and his wife, and remains today a memorial museum to his work.

As McKenzie's time devoted to art became ever-more-demanding, he asked in 1931 to be relieved of his administrative duties at the University of Pennsylvania, and the Trustees responded by naming him J. William White Research Professor of Physical Education, thereby providing him with both the time and the money to pursue his sculpting.

A year after he bought the Mill of Kintail, in 1931, McKenzie had an exhibition of sixty-seven of his works at the Los Angeles Olympics. Among the works was his bold *Shield of Athletes*. While he showed again at the 1936 Berlin Olympics, it was not until after his death that the largest showing of his works was held in a memorial exhibition at the University of Pennsylvania in 1940.

Robert Tait McKenzie died of a heart attack on 12 April 1938. The respect and affection he engendered during his lifetime echoed in the hundreds of letters of condolence received by his widow. Most of his admirers and friends agreed that he had been simple, sincere, humourous, friendly and fair—for all his worldly polish.

At sixty-two, McKenzie was described by his first biographer, Christopher Hussey as:

> very like one of his sculptured athletes: spare of words and movement, alertly sensitive but unemotional, with an acute intelligence, impatient of artistic top-hammer, but keen and resourceful . . . The unique position he holds today of both world-wide authority on physical efficiency and a sculptor of international reputation, has been achieved by a will like flexible steel, amazing keenness and a charm of mind.[2]

In the years between 1900 and 1940 his art had been shown in seventy-two exhibitions—in New York, Boston, Washington, Portland, Pittsburgh, San Francisco, Los Angeles and Philadelphia in the United States. Internationally, he showed in Paris, London, Berlin, Stockholm, Brussels, Buenos Aries, Ottawa, Toronto and Montreal.

McKenzie was accorded a multitude of honours for his work both in Physical Education and in art, and he belonged to a number of societies that reflected his broad interests.

Even in the world of today, with its multiplicity of art-forms and styles, McKenzie's works of sculpture still speak with integrity. That he chose to use the human (and largely male) body to express his interests still inspires appreciation of his simple *immediacy*. He communicates easily, but profoundly, in a style that will always find an audience.

1 Hussey, Christopher: *Tait McKenzie: Sculptor of Youth* [1929] Country Life Limited, London, cited in Jean McGill, *The Joy of Effort: A Biography of R. Tait McKenzie* (Oshawa: Alger Press, 1980), p. (xi). McGill has provided perhaps the most extensive chronology and bibliography for students of McKenzie.

2 *Ibid*, p. 131

Avant-propos

Lorsque le talent artistique trouve à s'exercer dans les domaines de la médecine et de l'éducation physique, il en résulte une brillante réussite pour les trois. Le sculpteur, docteur et éducateur physique Robert Tait McKenzie fut un pionnier et un innovateur qui a eu une profonde influence sur les générations suivantes.

Même si le nom de McKenzie m'était déjà familier depuis mes années de baccalauréat en éducation physique, ce n'est qu'après avoir visité le monument américano-écossais en souvenir de la guerre à Edinbourg que j'ai compris toute la dimension de son talent artistique. Quelques années plus tard, en me promenant dans son atelier du moulin de Kintail et en regardant les plâtres de plusieurs de ses grandes oeuvres sur le thème de l'athlète, je compris comme jamais auparavant la beauté des mouvements sportifs. La vitesse à laquelle se déroulent les mouvements dans les sports ne permet souvent pas d'en apprécier la grâce et la puissance, McKenzie, lui, savait comment isoler le moment propice et la position du corps. De voir cet homme qui avait passé la plus grande partie de sa carrière professionnelle en éducation physique et qui par ses sculptures représentait des thèmes athlétiques me fit éprouver un sentiment d'admiration envers une profession pas toujours estimée à sa juste mesure par le public.

Quand cela m'a été possible durant mes voyages, je suis allé visiter des lieux où l'on pouvait voir le travail de McKenzie. Un après-midi passé à visiter la collection de l'université de Pennsylvanie s'est avéré un pur enchantement. C'est là que j'ai vu pour la première fois une version réduite de *Frères du vent*, un relief en bronze représentant des patineurs de vitesse. Je fus heureux d'apprendre que la grande frise elle-même avait été achetée pour le stade olympique, car je crois que chaque faculté d'éducation physique devrait avoir une oeuvre de Tait McKenzie pour se rappeler la beauté de la compétition athlétique. Cette acquisition a donné l'idée à Richard Graburn, le directeur du Nickle Arts Museum, de présenter une exposition d'oeuvres de McKenzie en même temps que les Jeux olympiques de Calgary en 1988.

Il semble tout à fait approprié que des oeuvres de McKenzie occupent une place permanente parmi les installations olympiques de l'université de Calgary : Robert Tait McKenzie s'est fait le porte-parole de l'idéal olympique tout sa vie.

Jean M. Leiper, Ph.D.
professeur
Faculty of Physical Education
janvier 1988

Préface et Remerciements

Il ya quelques années, j'ai eu le plaisir de voir des confrères de l'université de Calgary m'encourager à organiser cette exposition de sculptures de R. Tait McKenzie. J'ai depuis bénéficié de la gentillesse du personnel des institutions canadiennes et américaines qui ont rendu cette exposition possible en acceptant de prêter des oeuvres de leurs collections. Le prêt le plus important est venu du Gimble Gymnasium de l'université de Pennsylvanie, où l'on peut voir une collection d'oeuvres de R. McKenzie à la Lloyd P. Jones Gallery and Court. Je suis extrêmement reconnaissant au professeur Robert A. Glasscott, directeur de l'Intramural Recreation and Sport, pour le soutien qu'il a apporté à cette entreprise.

Les recherches sur l'artiste dans les archives de l'université de Pennsylvanie ont été facilitées par Maryellen Kaminsky qui m'a aidé pour la consultation des manuscrits de McKenzie.

C'est le Dr. Andrew J. Kozar, cependant, qui mérite d'abord ma gratitude pour l'élaboration du catalogue. J'ai trouvé, dans son étude pénétrante sur le travail de McKenzie publiée en 1975 sous le titre *R. Tait McKenzie, The Sculptor of Athletes*, une abondante source d'informations que j'ai à mon tour réutilisées. La biographie de l'artiste compilée par Joan McGill en 1980, *The Joy of Effort: A Biography of R. Tait McKenzie* a été également très utile.

Au musée, je voudrais remercier notre secrétaire générale, Mrs Marlene Smith, ainsi que ma secrétaire, Mrs. Angela Davis-Hall. L'encouragement du conseil d'administration du Musée, et de sa présidente, le Dr. Lorna Cammaert ont confirmé mon souhait de voir le Musée participer activement à la célébration des 15e Jeux olympiques d'hiver en 1988 à Calgary.

Finalement, je voudrais remercier le Programme d'aide aux musées des Musées nationaux du Canada; sans son soutien généreux, cette exposition et son catalogue n'auraient pas pu être réalisés.

Richard Graburn
Directeur
Le Nickle Arts Museum
janvier 1988

Robert Tait McKenzie 1867–1938
Sculpteur d'athlètes

Imaginez un moment Robert Tait McKenzie seul dans son premier véritable atelier—situé au sommet d'une tour dans un campus universitaire—sa carrière à l'université de Pennsylvanie à Philadelphie tout juste commencée, et vous aurez devant vous un homme sur le point de s'épanouir.

Il avait enfin trouvé un endroit où il pourrait travailler sérieusement à son art. Que de projets devaient traverser son esprit en cet automne de 1904! Le gentleman édouardien, le chirurgien, le sportif enthousiaste, le professeur—à l'âge de trente-neuf ans, il était sur le point d'aborder une brillante carrière aux multiples facettes, carrière qu'un homme de la Renaissance aurait pu lui envier.

Ses voyages en Europe l'été précédent, et l'appui qu'il avait reçu pour ses premières oeuvres sculpturales l'avaient fermement décidé à poursuivre, parmi les autres grandes réalisations de sa vie, son travail de sculpteur.

Il existe déjà un certain nombre de livres sur la vie de McKenzie et, en fait, il a beaucoup écrit sur lui-même, particulièrement en rapport avec les domaines de l'éducation physique et de la médecine. Si ce récit se concentre sur sa vie d'artiste, il a dû néanmoins tenir compte des autres intérêts et carrières de l'homme.

Le premier biographe de McKenzie, Christopher Hussey, a écrit :

> McKenzie est fondamentalement un penseur avant d'être un artiste, un homme de science avant d'être un sculpteur, cependant la beauté n'est pas pour lui une choses coupée de la vie mais au contraire en symbiose organique avec l'humanité . . . Il a un esprit classique. La beauté est pour lui la forme humaine en parfaite santé exécutant un mouvement gracieux . . . le potentiel infini de la vie est ce qu'il ressent le plus profondément, et c'est ce but qui donne à ses formes sculptées leur importance, leur beauté.[1]

Cette exposition inclut des oeuvres qui proviennent de septs collections publiques au Canada et aux Etats-Unis. Le choix veut souligner la fascination de l'artiste pour la représentation de l'athlète en sculpture et en médaillon—et ainsi commémorer les 15e Jeux olympiques de Calgary. Il ne s'agit là que d'une partie d'une oeuvre poursuivie pendant une vie entière.

Né à ce qui va bientôt devenir Almonte, Ontario, en 1867, l'année où l'Amérique du Nord britannique devenait le dominion du Canada, Robert Tait McKenzie était fils d'un ministre presbytérien qui avait quitté les Highlands écossais pour venir s'établir au Canada. Son père meurt alors qu'il avait neuf ans et la vie devient dès lors plus difficile pour le jeune Robert, sa mère, ses deux frères et sa soeur. Alors qu'il est écolier à Almonte, il ne s'applique pas beaucoup mais il profite de l'opiniâtreté de quelques bons professeurs. A dix-huit ans, il entre à l'université McGill à Montréal en propédeutique de médecine.

C'est à McGill que McKenzie fait la découverte de l'athlétisme, en particulier de la gymnastique et des sports qui exigent agilité plutôt qu'endurance. En fait il semble avoir été beaucoup plus intéressé par le développement de ses capacités physiques que par ses études universitaires; il ne fait que le nécessaire pour passer les examens. Il doit travailler chaque été pour payer les études de l'année suivante. Ces activités, exécutées pour la plupart au grand air (de l'arpentage au Manitoba et en Alberta, du travail dans la scierie de son oncle à Georgian Bay et aussi dans le port de Montréal), lui semblent plus intéressantes que ses études.

McKenzie reçoit quand même son diplôme de docteur en médecine en 1892. Il s'était de plus en plus intéressé, durant ces sept années d'études, au sport et à l'éducation physique. Il avait été pendant deux ans instructeur en gymnastique, travail qu'il poursuivra tout en faisant son internat à l'Hôpital général de Montréal.

En 1894, McKenzie est le premier directeur médical à l'entraînement physique de l'université McGill. Il occupera plusieurs autres postes jusqu'en 1904, dont celui d'instructeur en éducation physique, de chargé de travaux pratiques et de conférencier en anatomie. Cependant, son souhait de voir inaugurer un département d'éducation physique, bien qu'accepté avec enthousiasme par les autorités de l'université, s'avère impossible à financer par l'université à cette époque.

Durant cette période, McKenzie se constitue à Montréal un cercle d'amis plus ou moins associés aux arts et à la littérature. Il est membre d'un club Pen and Pencil, et il se détend à peindre des aquarelles et à remplir d'innombrables carnets d'études d'après nature, de portraits, de détails architecturaux ou de drapés. Il visite souvent Boston et il enseigne à la Montreal Art Association. Ses premiers tableaux sont considérés suffisamment intéressants pour être acceptés par l'Académie royale canadienne en 1898.

A l'été de 1894, le comte d'Aberdeen, Gouverneur général du Canada, prend une maison à Montréal pour l'été. A la recherche d'un instructeur de natation pour ses fils, il réussit, grâce à certains contacts, à persuader McKenzie d'accepter lui-même la position. Cette humble position en apparence banale permettra cependant à McKenzie de compléter son éducation dans le monde et favorisera des contacts et des amitiés à l'étranger qui s'avèreront plus importants qu'il n'aurait pu l'espérer à la fois sur le plan professionnel et personnel. En 1895, il accompagne les garçons pour un voyage en Angleterre et en Ecosse qui va lui permettre d'avoir un premier aperçu de la vie de la noblesse dans les pays étrangers. Ce même été, il accepte pour une durée de quinze mois le poste de médecin personnel attaché à la maison du gouverneur général, et il partage son temps entre le canal Rideau à Ottawa et la France et l'Angleterre.

Reprenant sa pratique privée à son retour à Montréal en 1896, il s'intéresse plus à son art, comprenant lentement que ses intérêts vont vers les travaux tridimensionnels. En observant les athlètes à l'université, il devient intrigué par leurs traits faciaux, leurs expressions et leur musculature. Il commence à se documenter sur l'effort physique. A l'hiver 1899, il se met à sculpter en relief, aidé par les conseils de Louis-Philippe Hébert et George W. Hill, deux sculpteurs réputés à l'époque.

Ses premières oeuvres qu'il termine juste avant le tournant du siècle combinent admirablement sa connaissance de l'anatomie avec ses propres observations sur l'athlète en action (voir fig. 1). Elles furent critiquées pour cette raison même, elles étaient trop mécaniques, surtout lorsque les mensurations d'un certain nombre d'athlètes étaient utilisées pour produire un modèle idéal (voir fig. 2).

McKenzie assimile cependant toutes ces expériences. Ses contacts de plus en plus répétés avec des artistes, et sa connaissance plus poussée des techniques de modelage et de moulage, joints à ses observations personnelles de sujets en action, allaient apporté à son travail puissance, simplicité et raffinement.

Sa déception de n'avoir pu convaincre l'université McGill de mettre sur pied un département d'éducation physique le pousse à présenter sa candidature pour le poste de directeur à l'éducation physique à l'université de Pennsylvanie où un nouveau Gymnasium et un Franklin Field venaient tout juste d'être construits. Il s'agissait sans doute là des meilleures installations sportives en Amérique du Nord à cette époque.

Philadelphie offre de nouvelles et importantes expérience pour McKenzie, surtout grace à son milieu artistique et aux institutions associées aux beaux-arts qui faisaient de cette ville une métropole de la peinture, de la sculpture et de la photographie. McKenzie passe l'été de 1904 en Europe. Il a l'occasion de travailler avec des artistes européens et américains célèbres ou de leur rendre visite. Il a eu la chance de pouvoir travailler seul dans son propre atelier et de voir son *Athlète* (fig. 2) exposé à l'Académie royale à Londres.

Avec son atelier situé dans le même édifice que son bureau et des centaines de jeunes hommes suivant ses cours et participant à des compétitions athlétiques pour lui servir de modèles, McKenzie entrait dans une période de sa vie où son art et ses connaissances en éducation physique allaient progresser en même temps.

Il était sur le point d'abandonner l'utilisation des données anthropométriques en faveur d'un retour à des techniques de sculpture plus traditionnelles. Durant cet été passé à Paris, McKenzie avait senti qu'il avait fait des progrès. Il avait commencé à travailler sur *Boxeur* (fig. 3), avait terminé puis exposé cette oeuvre dans la même année. Une fois installé dans ce lieu nouveau et inspirant, il se met à faire des médailles et des plaques —oeuvres qui ont souvent reçu les plus hauts éloges pour leur conception et leur exécution. En fait, quelques-unes des meilleures oeuvres de McKenzie se retrouvent sous cette forme, qu'il s'agisse de petites plaques commémoratives ou de pièces murales tel *Le Plaisir de l'effort*, 1912, 269 cm de diamètre (une version réduite est montrée en fig. 6) encastré dans le mur d'entrée du Stade de Stockholm, en Suède, ou *Bouclier d'athlètes*, 1932 (fig. 15).

McKenzie a voyagé énormément durant toute sa vie, souvent à l'étranger. Il a gardé contact avec des amis dispersés dans tout le Royaume-Uni et, en 1907 à Dublin, il a rencontré puis épousé une Canadienne, Ethel O'Neil. Sa longue amitié avec les Aberdeens s'avère à cette occasion grandement utile sur le plan social : le Earl et la Comtesse font en sorte qu'ils soient mariés dans la chapelle royale, au chateau de Dublin, et qu'ils puissent passer leur lune de miel dans la résidence du couple vice-royal.

Ethel s'avère une épouse excellente : bonne musicienne et professeur, elle transforme l'atmosphère de la résidence des McKenzie à Philadelphie. Les dimanches matins, alors que de jeunes athlètes venaient à la maison poser pour McKenzie, Ethel leur jouait des mélodies au piano. Hôtesse charmante qui partageait avec son mari une passion pour les réceptions, Ethel sut créer une atmosphère accueillante. Leur foyer devient bientôt un lieu de rencontres joyeuses et spirituelles.

Les années qui précèdent la Première guerre sont productives sur tous les plans : McKenzie travaille à de petites sculptures, continue son travail en médaillon, et obtient sa première commande publique par la promotion de 1904 de l'université de Pennsylvanie, le *Jeune Franklin* (1910-1914). Ce bronze de huit pieds de haut se tient devant le hall Weightman de l'université de Pennsylvanie. Parmi les sculptures de cette époque, il y a *Jongleur agile*, 1906, le *Compétiteur*, 1906, le *Coureur de relais*, 1910 (fig. 4), *Attaque*, 1911 (fig. 5), des douzaines de petites figurines de plâtre ou de bronze d'une vingtaine de centimètres de hauteur, des plaques et des médailles très belles, dont la série des *"W"* (pour l'université du Wisconsin), 1913 et *Le Plaisir de l'effort*, 1914.

Profondément préoccupé par la guerre, McKenzie joint l'armée britannique en tant que volontaire canadien. Sa connaissance et ses talents seront utilisés pour la réhabilitation, par la chirurgie et la physiothérapie, des hommes blessés lors des combats en France.

Bien qu'occupé par ses tâches, il commence à travailler à un bronze fascinant intitulé "Du pays" [*Blighty*, N.D.T.] qui représente un soldat du Seaforth Highlander assis, et qui se trouve maintenant dans la collection de la Reine d'Angleterre, au Chateau Balmoral, en Ecosse.

Les années d'après-guerre sont bourdonnantes d'activités : McKenzie expose fréquemment en Amérique du Nord et en Europe, et il soumet régulièrement des oeuvres pour les Jeux olympiques. Son travail en médaillon ainsi que ses oeuvres publiques lui valent une réputation grandissante.

En 1930, McKenzie achète un vieux moulin près d'Almonte en Ontario, le lieu de son enfance. Après quelques rénovations, il en fait une maison et atelier d'été pour lui et sa femme, maison qui est depuis devenue un musée dédié à sa mémoire.

Comme la pratique de son art exige de lui toujours plus de temps, il demande en 1931 d'être relevé de ses charges administratives à l'université de Pennsylvanie, et le conseil d'administration réagit en le nommant J. William White Research Professor of Physical Education, lui permettant ainsi d'avoir à la fois le temps et l'argent pour poursuivre son art.

Une année après avoir acheté le moulin de Kintail, en 1931, McKenzie a une exposition de soixante-sept de ses oeuvres lors des Jeux olympiques de Los Angeles. Parmi celles-ci on retrouvait son audacieux *Bouclier d'athlètes*. Bien qu'il expose à nouveau lors des Jeux olympiques de Berlin en 1936, ce n'est qu'après sa mort que la plus importante exposition de ses oeuvres a lieu, dédiée à sa mémoire, à l'université de Pennsylvanie en 1940.

Robert Tait McKenzie est décédé des suites d'une crise cardiaque le 12 avril 1938. Les centaines de lettres envoyées à sa veuve témoignent du respect et de l'affection qu'il s'était acquis durant sa vie. La plupart de ses admirateurs et amis s'entendent pour le décrire comme un homme simple, sincère, spirituel, amical et honnête—malgré son côté mondain.

A l'âge de soixante-deux ans, McKenzie était, selon son premier biographe, Christopher Hussey :

> tout à fait comme un de ses athlètes : économe de mots et de mouvements, alerte mais sans émotion, doué d'une vive intelligence, intolérant envers le snobisme artistique, mais adroit et plein de ressources. . . La position unique qu'il occupe aujourd'hui, celle d'avoir une réputation mondiale à la fois sur le plan de l'éducation physique et en sculpture, a été obtenue grâce à une volonté de fer, une vivacité exceptionnelle et un grand charme d'esprit.[2]

Entre 1900 et 1940, les oeuvres de McKenzie ont été exposées à soixante-douze reprises, à Ottawa, Toronto et Montréal, à New York, Boston, Washington, Portland, Pittsburgh, San Francisco, Los Angeles et Philadelphie, ainsi qu'à Paris, Londres, Berlin, Stockholm, Bruxelles et Buenos Aires.

McKenzie s'est plusieurs fois distingué pour son travail en éducation physique et en art, et il a appartenu à de nombreuses sociétés qui reflétaient la diversité de ses intérêts.

Même dans le monde contemporain, avec sa prolifération de formes et de styles artistiques, la sculpture de McKenzie nous parle toujours avec intégrité. Le sentiment d'*immédiateté* que nous percevons provient en partie de ce qu'il a choisi le corps humain (surtout masculin). Il communique facilement mais en profondeur, dans un style qui trouvera toujours en public.

---

1. Hussey, Christopher, *Tait McKenzie: Sculptor of Youth* (1929), Country Life Limited, London, cité *in* Joan McGill, *The Joy of Effort: A Biography of R. Tait McKenzie* (Oshawa: Alger Press, 1980), p. [xi] et 131. McGill offre la chronologie et la bibliographie la plus complète sur McKenzie.
2. Ibid, p. 313

1. Masks of Facial Expression

Bronze, life-size, mounted on a walnut panel.
Collection: University of Pennsylvania
at the Lloyd P. Jones Gallery, Philadelphia.

Four masks, expressing Violent Effort, Breathlessness, Fatigue and Exhaustion.

At about the time McKenzie began his work as demonstrator in anatomy at McGill University, he had the opportunity to dissect facial muscles. These experiences, coupled with help from his fellow students in photographing athletes during competition, led him to the development of these unusual masks.

While he worked on them for over thirty years and did not have them cast until about 1931–1932, it is obvious that anatomy still triumphed over artistry. McKenzie's interests here are in the processes of the body's reaction in athletic competition. Of *Violent Effort* the artist commented that "the breath has been caught and held till the end of the effort," and that an athlete "often does close his eyes at the moment of greatest effort. . ."[1] Of *Breathlessness* he commented that "after the first exhilaration," the athlete feels "an increasing uneasiness in his chest. . ."[2] The third mask, *Fatigue*, depicts the athlete getting "his 'second wind' and he goes on . . . fighting an increasing lassitude . . ."[3] *Exhaustion* is a condition of near final collapse, usually followed by a final effort at recovery. While these masks may not measure up to McKenzie's later achievements, they startle and disturb the viewer with their qualities of raw and seductive power and emotion.

1 R. Tait McKenzie, "The Facial Expression of the Emotion with Special Reference to Violent Effort and Fatigue," *International Clinics* 4, ser. 42 (Philadelphia: Lippincott, 1932), pp. 283–91, cited in Andrew J. Kozar, *R. Tait McKenzie, The Sculptor of Athletes* (The University of Tennessee Press,1975), p. 40

2 *Ibid*, p. 289

3 *Ibid*, p. 290

1. Masques montrant diverses expressions faciales, 1902

bronze, grandeur nature, montés sur un panneau en noyer
collection de la Lloyd P. Jones Gallery, université de Pennsylvanie

Quatre masques exprimant l'effort violent, l'essoufflement, la fatigue et l'épuisement

Environ à la même époque où McKenzie commence son poste de chargé de travaux pratiques en anatomie à l'université McGill, il a l'occasion de disséquer des muscles faciaux. Ces deux expériences, jointes à des photographies d'athlètes en compétition prises par de jeunes confrères étudiants, sont à l'origine de ces masques surprenants.

Bien que McKenzie ait mis une trentaine d'années à terminer ces masques (il ne les coula en bronze que vers 1931-1932), il est évident qu'ici l'observation anatomique l'emporte sur les considérations artistiques. Ce sont les réactions du corps durant la compétition athlétique qui intéressent McKenzie. A propos d'*Effort violent*, l'artiste a lui-même précisé que « le souffle est retenu jusqu'à la fin de l'effort, » et que l'athlète « va souvent fermer les paupières au moment de l'effort ultime . . . [1]; pour *Essoufflement*, qu'après « un premier sentiment d'allégresse, » l'athlète ressent « le début d'un malaise dans la poitrine . . . »[2]; Le troisième masque, *Fatigue*, représente un athlète « sur le point d'avoir son second souffle, qui poursuit son effort . . . résistant à une fatigue de plus en plus grande . . . , »[3] alors que l'*Epuisement* survient juste avant l'effondrement final, suivi habituellement par un dernier effort de récupération. Bien que ces masques ne soient pas à la hauteur des grand oeuvres de maturité de McKenzie, ils étonnenet le spectateur par le sentiment de force et d'émotion brute qui s'en dégage.

---

1. Les citations proviennent de R. Tait McKenzie, « The Facial Expression of the Emotion with Special Reference to Violent Effort and Fatigue, » *International Clinics* 4, ser. 42 (Philadelphie; Lippincott, 1932), pp. 283–91, cité *in* Andrew J. Kozar, *R. Tait McKenzie, The Sculptor of Athletes* (The University of Tennessee Press, 1975), p. 40.
2. Ibid, p. 289
3. Ibid, p. 290

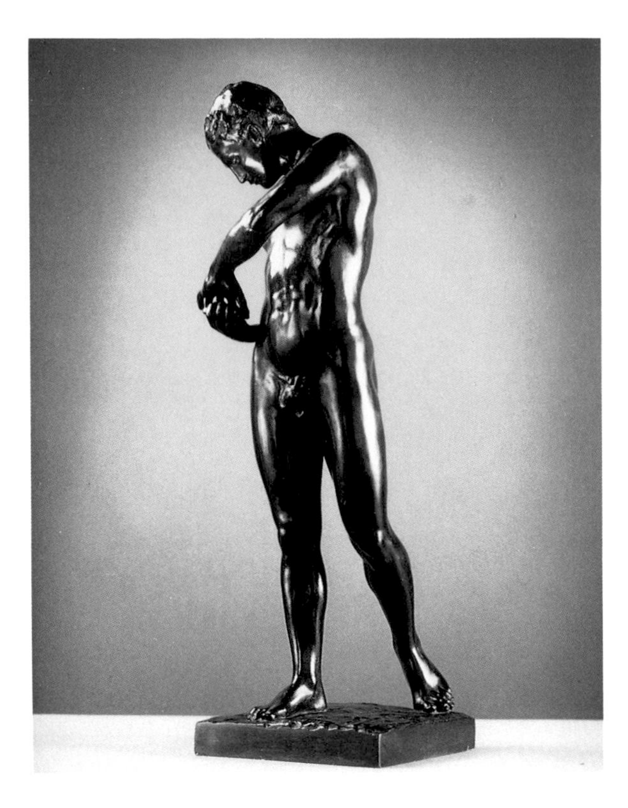

2. Athlete 1903

Bronze, height 42.5 cm
Inscription: top right of base, *R. Tait McKenzie 1903*
Collection: The Art Gallery of Ontario, Toronto

A college athlete taking the grip-strength test

Modelled from the average proportions of four hundred Harvard students, and from the fifty strongest of them over a period of eight years, this work was commissioned by the Society of College Gymnasium Directors in 1902. It was McKenzie's second work in the round of a single figure (preceded by *Sprinter* of 1902) and was shown first at the Paris Salon of 1903 and at the Royal Academy, London, the following year. Critics were divided on its quality, but the most admiring compared it favourably with the *Doryphoros* of Polycletus and the *Apoxyomenos* of Lysippus. It is certainly classical in its form and sensuous grace, and we do know that the sculptor's ideals and early influences lay with the ancient world. It is interesting to note that some of his plaster sketches of this same period show tenser bodies in stronger, more athletic poses. It remains, however, a work of compelling, if quiet, beauty.

2. Athlète, 1903

bronze, 42,5 cm de h.
inscrit : au coin supérieur droit de la base, *R. Tait McKenzie 1903*
collection du Musée des beaux-arts de l'Ontario, Toronto

Athlète universitaire exécutant le test de l'aggrippement

Modelée d'après des études de proportions conduites sur quatre cents étudiants de Harvard, et finalement à partir d'une cinquantaine des plus forts d'entre eux qui seront étudiés pendant huit ans, cette oeuvre a été commandée par la Society of College Gymnasium Directors en 1902. Il s'agissait pour McKenzie de sa deuxième oeuvre en ronde-bosse représentant un seul personnage (en 1902, il y avait eu le *Sprinter*) et elle a d'abord été exposée au Salon de Paris de 1903, puis à l'Académie royale, à Londres, l'année suivante. Les critiques étaient partagées quant à la qualité de cette oeuvre, mais les plus enthousiastes d'entre elles la comparait au *Doryphore* de Polyclète ou à l'*Apoxyomène* de Lysippe. Elle est certainement imbue de classicisme par sa forme et sa grâce naturelle et, en effet, les idéaux et les influences au début de la carrière du sculpteur venaient en grande partie de l'Antiquité. Il est intéressant de noter que quelques-uns de ses premiers essais en plâtre qui datent de la même période montrent des corps beaucoup plus musclés, dans des postures plus athlétiques. Elle demeure toutefois une oeuvre attachante pour sa sereine beauté.

3. Boxer 1905

Bronze, height 45.7 cm
Inscription: *Copyright R. Tait McKenzie, 1905*
Collection: University of Pennsylvania
at the Lloyd P. Jones Gallery, Philadelphia

The figure in a defensive stance

This work was sculpted in Paris during the summer of 1904 and is modelled after Leonard Mason, a young physical education instructor at the University of Pennsylvania. McKenzie never seemed quite satisfied with its stance, which does seem to contemporary eyes to be awkward and somewhat unfinished. There is an interesting tension in the face which was to occupy the sculptor in later works and indeed become one of the finest features of his sculpture.

The pose suggests that the right arm is extended to ward off a blow, while the left is ready for a counter-punch. As with most of McKenzie's small sculptures, the hands and feet are exceptionally well modelled and give the work some of its main strengths.

3. Boxeur, 1905

bronze, 45,7 cm de h.
inscrit : *Copyright R. Tait McKenzie, 1905*
collection de la Lloyd P. Jones Gallery,
université de Pennsylvanie, Philadelphie

Le Corps dans une posture de défense

Cette oeuvre fut sculptée à Paris durant l'été de 1904 et elle a pour modèle Leonard Mason, un jeune instructeur en éducation physique à l'université de Pennsylvanie. McKenzie n'a jamais été satisfait de cette pose, qui semble en effet à un oeil contemporain un peu maladroite et mal finie. Il y a une tension intéressante dans le visage qui va être reprise par le sculpteur pour des oeuvres ultérieures, et qui va se révéler être l'un des traits caractéristiques du travail de McKenzie.

La pose montre le bras droit étendu pour parer un coup, alors que le bras gauche est prêt à riposter. Comme c'est le cas pour la plupart des sculptures à petite échelle qu'a faites McKenzie, les pieds et les mains montrent une grande attention au détail et sont l'un des points forts de l'oeuvre.

4. Relay Runner 1910

Bronze, height 55.9 cm
Inscription: *R. Tait McKenzie, 1910*
Collection: Montreal Museum of Fine Arts
Gift of David Scott Walker

Crouching competitor waiting for the handoff

This work differs dramatically from *Competitor* of 1906: even though the works are similar in the crouching attitude of the figure, this athlete is all outward attention. The body seems ready to rise in an instant as he watches his team-mate approach. The contradictions in the tension of the hands, one supporting the body, the other at rest, give an anticipatory excitement to the figure. Combined with the easy musculature it moves the viewer to emotion matching the figure's own intensity. However, it is in the rapt concentration of the face that the work achieves its supreme moment.

Maurice Husik, a University of Pennsylvania undergraduate, is said to have posed for this work and for *Competitor* during the summers of 1906 and 1908.

4. Coureur de relais, 1910

bronze, 55,9 cm de h.
inscrit : *R. Tait McKenzie, 1910*
collection du Musée des beaux-arts de Montréal
don de David Scott Walker

Athlète accroupi attendant l'échange

Cette oeuvre diffère entièrement du *Compétiteur* de 1906 : même si la posture accroupie se retrouve chez les deux, cet athlète-ci montre une grande concentration. Le corps, tourné vers son coéquipier qui approche, semble prêt à s'élancer à l'instant même. Les contradictions au niveau de la tension des mains, l'une supportant le corps, l'autre au repos, confèrent un sentiment d'attente suspendue, et la musculature fluide provoque l'émotion chez le spectateur qui ressent l'intensité de la pose. C'est cependant dans le visage, d'une concentration extrême, que l'oeuvre atteint à son sommet d'intensité.

Il semble bien que le modèle ait été, pour cette oeuvre et pour *Compétiteur*, un étudiant de l'université de Pennsylvanie, Maurice Husik, qui aurait posé durant les étés de 1906 et 1908.

R. Tait McKenzie

5. Onslaught 1911

Bronze, height 38.1 cm; width 91.4 cm; depth 53.3 cm
Inscription: on base, *R. Tait McKenzie, copyright 1911*
Collection: McCord Museum, Montreal

Football team in a line play through center

This is the only group work the artist tackled; part of that may have been the complexity of recording the action. The work took five years to complete, with scrimmages being arranged by the football coach at the University of Pennsylvania on a regular basis so that McKenzie could study this wedge play. Many of the figures are modelled after actual players on the team.

While one can appreciate the vigour of movement and the strengths and tensions of the piece, it cannot be called a fully successful work of sculpture. Its very complexities, planes, and emotions do not not allow a single, strong focus—and these problems, combined with those of accurately recording such a group from life, may have influenced McKenzie to abandon this kind of group work as a sculptural goal.

It was, however, much admired for its "unity of purpose" while on exhibition in Rome and Montreal in 1911, and for its similarity to a breaking wave.

5. Attaque, 1911

bronze, 38,1 cm de h., 91,4 cm de l., 53,3 cm de p.
inscrit : sur la base, *R. Tait McKenzie, copyright 1911*
collection du Musée McCord, Montréal

Equipe de football lors d'un jeu de ligne avec percée par le centre

Il s'agit du seul groupe sculpté auquel s'est attaqué l'artiste; l'une des raisons est probablement les difficultés que représente l'enregistrement d'un ensemble d'actions aussi complexe. L'oeuvre a mis cinq années à être réalisée, l'entraîneur de l'équipe de football de l'université de Pennsylvanie organisait des mêlées régulièrement, de façon à ce que McKenzie puisse étudier cette stratégie particulière, « en forme de coin. » Plusieurs des personnages sont modelés d'après les joueurs des équipes elles-mêmes.

Bien qu'on puisse apprécier la vigueur du mouvement et les forces et les tensions à l'oeuvre dans la composition, on ne peut affirmer qu'il s'agit là d'une oeuvre réussie. Le grand nombre de personnages, les directions diverses et les expressions multiples ne donnent pas à l'oeuvre une orientation définie, et ces difficultés, auxquelles il faut ajouter les problèmes à documenter de telles formations de groupe, peuvent avoir conduit McKenzie à abandonner ce type de sculpture.

Lorsqu'elle fut exposée à Rome et à Montréal en 1911, cependant, cette oeuvre fut à l'époque beaucoup admirée pour « l'unité d'intention » dont elle faisait montre et pour sa ressemblance à une vague qui se brise.

CANADIAN CHAMPIONSHIP SENIOR INTERCOLLEGIATE FOOTBALL
PRESENTED IN 1953 FOR ANNUAL COMPETITION . . .
BY SENATOR HARTLAND MOLSON AND BRIGADIER AIRD NESBITT
FOR THE BENEFIT OF THE CANADIAN PARAPLEGIC ASSOCIATION
THE SIR WINSTON CHURCHILL TROPHY

6. Joy of Effort 1914

Bronze, diameter 7.6 cm
Inscription: on garland, lower centre, *JOY OF EFFORT,*
lower edge, *RTM 1914*
Collection: Mississippi Valley Conservation Authority
Mill of Kintail, Almonte, Ontario

Three athletes clearing a hurdle

Unfortunately, the original 269 cm work and even the revised later 1914 version of his work are unavailable for temporary display in an exhibition. The first large work is permanently installed in Stockholm, Sweden, as a memorial to the 1912 Olympic Games in that city, and the later work is permanently installed in the Lloyd P. Jones Gallery, in the Gimbel Gymnasium. The small medallion included here is one of hundreds produced in miniature, which have most often been used as athletic awards.

The design is one of the most accomplished within the tondo form: its three hurdlers are masterful both in the placement of the figures and in the levels of relief that lend it perspective. The eager limbs caught at the top of the hurdle are matched by the eager concentration of expression in the faces of the athletes. The scrolls and hurdle lend an interesting stability to the design, even though these have been altered from the original conception, where they were quite satisfactory. It has been said that while working on this medallion, the artist recalled his experiences at sea, some twenty-five years earlier, when he observed a school of porpoises leaping through the waters: his athletes have the same cresting movements.

This work is undoubtedly one of McKenzie's finest in medallic form, original in concept and wonderful in execution.

6. Le Plaisir de l'effort, 1914

bronze, 7,6 cm de diamètre
inscrit : en guirlande, au centre en bas, *JOY OF EFFORT*, rebord inférieur, *RTM 1914*
collection du R. Tait McKenzie Memorial Museum, Mill of Kintail, Almonte, Ontario (Mississippi Valley Conservation Authority).

Trois athlètes franchissant une haie

Malheureusement l'oeuvre originale, qui mesurait 269 cm, ainsi que sa version révisée en 1914 ne sont pas disponibles pour une exposition temporaire. La première et plus grande version est installée en permanence à Stockholm en Suède pour commémorer les Jeux olympiques de 1912 qui se déroulèrent dans cette ville, et la deuxième version est installée également de façon permanente à la Lloyd P. Jones Gallery, au Gimbel Gymnasium. Ce médaillon est une reproduction miniature faite à des centaines d'exemplaires, la plupart d'entre eux ayant servi de décorations athlétiques.

La conception de ce médaillon est magistrale dans la façon dont les trois coureurs sont disposés et dont les niveaux de reliefs creusent l'espace en profondeur. Les membres projetés vers l'avant au-dessus de l'obstacle offrent la même intensité que celle qui se lit sur le visage des coureurs. L'obstacle lui-même ainsi que le motif en guirlande donnent à la composition une ingénieuse stabilité, même si ces éléments ont été modifiés par rapport à la conception originale, pourtant tout à fait satisfaisante. Il paraît que lorsque l'artiste travaillait à ce médaillon, il avait en mémoire la vue d'un groupe de marsouins chevauchant les vagues, souvenir vieux de vingt-cinq années; les athlètes présentent le même mouvement en forme de crête de vague.

Il s'agit sans conteste d'un des meilleurs exemples du travail de McKenzie sous la forme du médaillon, d'une composition originale et d'une exécution impeccable.

7. Shot Putter, Resting 1919

left
Bronze sketch, height 25.4 cm
Collection: University of Pennsylvania
at the Lloyd P. Jones Gallery, Philadelphia

8. Watching the Pole Vault 1919

right
Bronze sketch, height 25.4 cm
Collection: University of Pennsylvania
at the Lloyd P. Jones Gallery, Philadelphia

These two small bronze *modellos* have every element of refinement that McKenzie put into his larger works. Their immediacy may be a result of both the speed with which they were worked in clay and their relaxed poses, with which each of us can empathize, having struck these kinds of poses in our own lives. Even small works such as these are given detailed treatment of hands, feet, and faces; the modelling of the muscularity of the body is exceptionally well-handled, and shows that the artist was at ease in handling the clay.

7. Lanceur de poids au repos, 1919

Gauche
étude en bronze, 25,4 cm de h.
collection de la Lloyd P. Jones Gallery,
université de Pennsylvanie, Philadelphie

8. Regardant la perche, 1919

Droit
étude en bronze, 25,4 cm de h.
collection de la Lloyd P. Jones Gallery,
université de Pennsylvanie, Philadelphie

Ces deux figurines en bronze présentent malgré leur petite taille la même attention au détail que McKenzie apportait à ses oeuvres de grandes dimensions. Leur caractère d'immédiateté provient peut-être de la vitesse à laquelle elles ont été exécutées, et du naturel de leurs poses que nous comprenons facilement, ayant nous-mêmes dans nos vies pris des poses semblables. Même des oeuvres aussi petites reçoivent un traitement attentif au niveau des mains, des pieds et du visage; le modelage de la musculature du corps est merveilleusement bien exécuté, révélant l'aisance avec laquelle l'artiste travaillait la glaise.

9. Flying Sphere 1920

Bronze, height 45.7 cm
Inscription: *R. Tait McKenzie, 1920*
Collection: University of Pennsylvania
at the Lloyd P. Jones Gallery, Philadelphia

Shot-putter just after releasing the iron ball

The work is the first of the artist's open, flowing and balanced works. It is superb in its long rippling lines and the effects on the body of the departure of the ball. The singular grace of the sport has been caught at a splendid moment—the intensity of the action and the grace of the body in executing it.

It is a perfectly balanced work. One has no fears for its stability, for the weight of the body comes through the grounded leg in harmony and perfection.

It is interesting to note the difference in body structure of athletes in this sport from the early part of the century, to the much more massive muscularity of today.

9. Sphère volante, 1920

bronze, 45,7 cm de h.
inscrit : *R. Tait McKenzie, 1920*
collection de la Lloyd P. Jones Gallery,
université de Pennsylvanie, Philadelphie

Lanceur de poids immédiatement après avoir lâché la boule de fer

Cette oeuvre est la première d'une série d'oeuvres qui occupent entièrement l'espace, plus fluides et plus équilibrées. Il s'agit d'une oeuvre superbe par ses lignes ondulées, et par les effets sur le corps du départ de la boule. L'élégance particulière de ce sport a été captée au moment propice où se voit l'intensité de l'action et la grâce du corps qui l'exécute.

C'est une oeuvre parfaitement équilibrée. On ne sent nul inquiétude au sujet de sa stabilité, car le poids du corps repose sur la jambe d'une façon parfaitement harmonieuse.

Il est intéressant de noter la différence au niveau de la structure du corps entre les athlètes qui pratiquaient ce sport au début du siècle et ceux d'aujourd'hui, à la musculature beaucoup plus massive.

10. Ice Bird 1925

Bronze, height 48.3 cm, width 71.2 cm
Collection: The Royal Canadian Academy of Arts
on loan to the Mill of Kintail, Almonte, Ontario

Skater in a graceful glide

Ice Bird is another of those open, balanced works, that McKenzie seems to model easily and almost perfectly. It is also one of only two works in the exhibition that demonstrates a winter sport. The long line formed by the skater's outstretched right arm follows in a sensuous arc through to his extended left foot. The slightly bent right knee is in the perfect position to catch the full weight of the body and the skating manoeuvre. The keen, focused, backward gaze enhances the potential forward motion of the figure, caught in that gliding position that has made figure-skaters the perfect partners of dancers.

10. Oiseau de glace, 1925

bronze, 48,3 cm de h., 71,2 cm de l.
collection de l'Académie royale des arts du Canada, en prêt au
R. Tait McKenzie Memorial Museum, Mill of Kintail, Ontario

Patineur glissant gracieusement

Oiseau de glace est une autre de ces oeuvre pleinement épanouie dans l'espace et tout à fait équilibrée que McKenzie semble avoir modelée aisément et presque à la perfection. Il s'agit aussi de l'une des deux oeuvres de cette exposition qui représentent un sport d'hiver. La longue ligne formée par le bras droit étendu du patineur est prolongée en un arc sensuel jusqu'au pied gauche. Le genou droit légèrement fléchi est dans une position parfaite pour recevoir tout le poids du corps et exécuter le mouvement. Le regard tourné vers l'arrière, pénétrant et concentré, accentue l'effet de mouvement vers l'avant du personnage, capté dans cette position de glissade qui a fait des patineurs artistiques l'égal sur tous les plans des danseurs.

11. Brothers of the Wind 1925

Metal galvano relief, height 27.5 cm, width 102.9 cm
Inscription: *BROTHERS OF THE WIND, RTM*
Collection: National Archives of Canada
Documentary Art and Photography Division, Ottawa

Eight speed skaters

Among the artist's finest works in relief, the swiftly flowing line of bodies is interrupted only by sketchy vertical trees which serve to counterbalance the composition. The nude bodies, in an overlapping group varying in depth of relief, give the impression of passing each other in intense concentration. The various aspects of the skater's techniques for gaining the fastest speed are shown in the variety of extended arms and muscular legs, while each skated foot gives the impression of the solid ice beneath and the strong direction of the athletes as a group.

An original cast bronze of this work, 305 cm in length, is in the collection of The University of Calgary, permanently installed at the entrance to the Olympic Oval.

11. Frères du vent, 1925

relief en métal galvano, 27,9 cm de h., 102,9 cm de l.
inscrit : *BROTHERS OF THE WIND; RTM.*
collection des Archives nationales du Canada,
division de la photographie et de l'art documentaire, Ottawa

Huit patineurs de vitesse

Il s'agit de l'une des meilleures oeuvres en relief de l'artiste, la ligne fluide des corps est interrompue uniquement par les verticales des arbres schématiques qui servent à contrebalancer la composition. Les corps nus superposés forment un groupe sculptural qui creuse inégalement l'espace, chaque patineur paraissant être en train de dépasser l'autre dans une extrême concentration. Les diverses techniques utilisées par les patineurs pour accroître leur vitesse sont représentées dans les multiples positions que prennent les bras étendus et les jambes musclées, alors que le pied qui repose sur le sol donne l'impression de la solidité de la glace sous la lame, et oriente fortement le groupe des athlètes.

Le moulage original de cette oeuvre, de 305 cm de longueur, se trouve dans la collection de l'université de Calgary, installée en permanence à l'entrée du stade olympique.

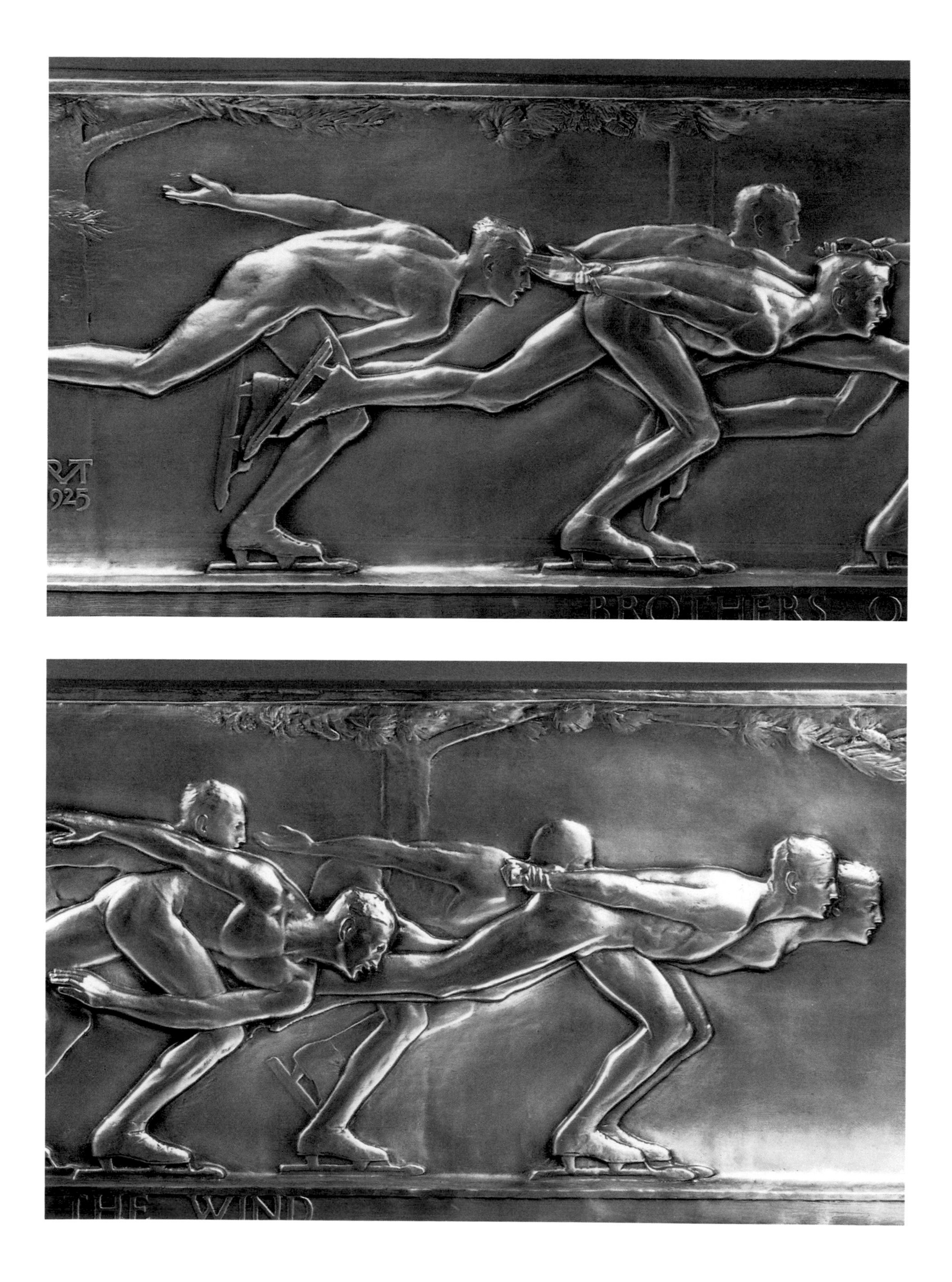
BROTHERS
THE WIND

12. Plunger 1925

Bronze, height 61.5 cm
Inscription: on base, under heel: *R. Tait McKenzie*
Collection: The Art Gallery of Ontario, Toronto
Gift of Mrs. Thomas Bradshaw 1950

A swimmer preparing to dive

McKenzie's friend Harry J. Walker, a Canadian writer and historian, made an observation that describes this work exactly: "In every athletic endeavour there is a moment when the direction changes radically, or a pause between two movements when the body is unconsciously poised. It may occur just before, or even after. . . This is the 'moment' that McKenzie gets into his art. It can be seen in *The Plunger* as the diver is about to leap."[1]

This work, larger than most of his statuettes, offers the viewer a variety of responses, depending on which aspect of the work one is seeing. From either side it is the classic diver's pose, balanced on the balls of his feet, revealing the tension in the muscles of the arms and legs. However, from the front, one is caught up almost solely in the face and its intensity of expression, when for a moment the body becomes secondary to the power of the work.

McKenzie began making small models of divers as early as 1911; this work was posed for by Mifflin Armstrong, a University of Pennsylvania champion swimmer, during the summer of 1922.

1 "The Athlete in Sculpture," *Journal of Health and Physical Education* 3:9 (Nov. 1932), p.46

12. Plongeur, 1925

bronze, 61,5 cm de h.
inscrit : sur la base, sous le talon : *R. Tait McKenzie*
collection du Musée des beaux-arts de l'Ontario,
don de Mme Thomas Bradshaw, 1950

Un nageur se préparant à plonger

Harry J. Walker, un écrivain et historien canadien et ami de McKenzie, fit un jour l'observation suivante qui s'applique tout à fait à cette oeuvre : « Dans toute activité athlétique, il y a ce moment où l'orientation du corps change de manière radicale, ou bien il s'agit d'une pause entre deux mouvements où le corps se positionne inconsciemment. Ce moment survient juste avant, ou même après. . . C'est ce "moment" que McKenzie introduit dans son art. Il est visible dans *Le Plongeur* où le nageur est sur le point de s'élancer. »[1]

Cette oeuvre, de plus grande dimension que la plupart des statuettes de McKenzie, est perçue différemment par le spectateur selon que celui-ci s'attarde sur tel ou tel aspect. De côté, c'est la pose classique du nageur prêt à plonger, en équilibre sur la plante des pieds, révélant la tension dans les muscles des bras et des jambes. De face, cependant, le spectateur voit surtout le visage et son intense expressivité, là, pour un instant, le corps devient secondaire par rapport à la puissance d'expression de l'oeuvre.

McKenzie a commencé à fabriquer des petits modèles de plongeurs dès 1911; celui qui a posé pour cette oeuvre est Mifflin Armstrong, champion nageur de l'université de Pennsylvanie, durant l'été de 1922.

1. « The Athlete in Sculpture, » *Journal of Health and Physical Education* 3:9 (Nov. 1932), p. 46

13. Triumph of Wings 1931

Bronze, height 116.8 cm
Inscription: © *R. Tait McKenzie*, base
Collection: University of Pennsylvania
at the Lloyd P. Jones Gallery, Philadelphia

Memorial to Aviation

This beautifully executed work was conceived as a memorial to aviation. The lower figure carries a globe girdled with low-relief stylized airplanes, surmounted by a winged figure. It is a wonderfully balanced series of elements. The "Atlas" or supporting figure is exceptionally well-muscled, and his stance, with hands braced on hips, carries the sphere easily. The wing-footed and winged youth surmounting the work is standing solidly on the globe and yet is poised for flight with the left arm and wing raised. This top figure was re-worked a number of times by the artist, most satisfyingly in his life-size *The Falcon* (a bronze casting is located at the McLennan Library, McGill University, Montreal, a gift of G. Gordon Lewis in memory of Eva Maud Lewis, 1953), so named for its falcon headdress. The figure in this large work is more simplified, while the wings are treated in greater detail. Perfectly majestic, the work effectively combines Classical sentiments, ideals and mythology.

13. Le Triomphe des ailes, 1931

bronze, 116,8 cm de h.
inscrit : © *R. Tait McKenzie*, sur la base
collection de la Lloyd P. Jones Gallery,
université de Pennsylvanie, Philadelphie

Monument à l'aviation

Cette oeuvre magnifiquement exécutée a été conçue pour être un monument dédié à l'aviation. Le personnage du bas porte un globe entouré d'une guirlande d'avions stylisés en bas-relief surmontée d'un personnage ailé. L'ensemble des éléments qui composent la pièce est merveilleusement équilibré. « L'Atlas » ou le personnage qui supporte le globe offre une musculature exceptionnelle et sa pose, avec les mains appuyées sur les hanches, supporte la sphère aisément. Le jeune homme, qui surplombe l'oeuvre, a des ailes dans le dos et aux pieds et se tient solidement sur le globe, prêt cependant à prendre l'envol, avec le bras et l'aile gauches levés. Ce personnage a été repris plusieurs fois par l'artiste et il a trouvé son expression la plus satisfaisante dans la statue grandeur nature intitulée *Le Faucon* à cause de sa coiffure en forme de cet oiseau (un moulage en bronze de cette statue se trouve à la bibliothèque McLennan de l'université McGill, à Montréal, un don de G. Gordon Lewis en mémoire de Eva Maud Lewis, 1953). Dans cette oeuvre de grande dimension, le personnage est simplifié, bien que les ailes soient traitées en détail. Toute de majesté, l'oeuvre combine de manière efficace les sentiments, les idéaux et la mythologie antiques.

14. William A. Carr 1932

Bronze portrait sketch, height 25.4 cm
Inscription: on base, *1932*
Collection: University of Pennsylvania
at the Lloyd P. Jones Gallery, Philadelphia

Olympic 400-meter racing champion

This small statuette, like its predecessors (figs. 7 and 8), shows the athlete in a restful pose. A companion piece shows Carr in full stride. This small work benefits from the quick modelling of the clay—unlaboured and very appealing—in the depiction of a resting figure. The pose becomes immediately recognizable to the viewer.

14. William A. Carr, 1932

portrait en bronze, 25,4 cm de h.
inscrit : sur la base, *1932*
collection de la Lloyd P. Jones Gallery,
université de Pennsylvanie, Philadelphie

Champion du 400 mètres olympique

Cette petite statuette, comme ses prédécesseurs (voir fig. 7 et 8), montre l'athlète au repos. Une oeuvre qui l'accompagne montre Carr en pleine course. L'oeuvre tire profit du modelage rapide à la glaise—libre et sensuel—dans la représentation d'un personnage au repos. Cette pose est tout de suite familière au spectateur.

15. Shield of Athletes 1932

Metal, galvano relief, diameter, 45.7 cm
Collection: National Archives of Canada
Documentary Art and Photography Division, Ottawa

The form and characteristics of modern athletics

This impressive buckler, an echo of Homer's Shield of Achilles, has never been cast to the size (152.4 cm) of the original plaster (at the University of Pennsylvania). The example shown in the illustration is a smaller version. The artist worked on the shield for over four years, intending it as a record of some of the major competitive athletic activities of his time. It flows from high relief in the centre to low relief in the outer band. The centre medallion depicts the spirit of Olympia in Greek costume with two modern athletes. The second ring depicts, in panels, a variety of field events. Surmounting this ring is the figure of "Aviation" (see also fig. 13), with the words *FORTIUS–ALTIUS–CITIUS* (Stronger, Higher, Swifter) just above, and *MENS FERVIDA IN CORPORE LACERTOSO* (An eager mind in a lithe body), chosen by Baron de Coubertin as the motto that best describes the aspiration of the Olympic Games. This circle is interrupted by four plaques each showing a single athlete in action. The whole work is surrounded by a border of runners showing a race from beginning to end.

McKenzie submitted the work in the art competition for the Los Angeles Games in 1932, where it was awarded a third prize.

15. Bouclier d'athlètes, 1932

relief en métal galvano, 45,7 cm de diamètre
collection des Archives nationales du Canada,
division art et photographie, Ottawa

La forme et les caractéristiques des athlètes modernes

Ce bouclier impressionnant, qui rappelle celui d'Achille mentionné par Homère, n'a jamais été moulé à la dimension (152,4 cm) du plâtre original (situé à l'université de Pennsylvanie). L'exemple qu'on voit ici est une version plus petite. L'artiste a travaillé à ce bouclier pendant plus de quatre années. Il le concevait comme une illustration des principales disciplines athlétiques de son temps. L'oeuvre va du haut-relief au centre au bas-relief sur le pourtour. Le médaillon central montre l'esprit d'Olympie en costume grec flanqué de deux athlètes modernes. Le second anneau montre, en une série de panneaux, une variété de compétitions athlétiques. Surplombant cet anneau, se trouve le personnage de l'« aviation » (voir aussi la fig. 13), avec les mots *FORTIUS•ALTIUS•CITIUS* (plus fort, plus haut, plus vite) placés au-dessus, et MENS FERVIDA IN CORPORE LACERTOSO (un esprit fervent dans un corps agile), devise choisie par le Baron de Coubertin parce qu'elle représentait le mieux les aspirations des Jeux olympiques. Ce cercle est interrompu par quatre plaques, chacune montrant un athlète en action. L'oeuvre en entier est entourée par une bordure de coureurs montrant une course du début à la fin.

McKenzie a soumis cette oeuvre en compétition pour les Jeux olympiques de 1932, où elle s'est mérité le troisième prix.

16. Invictus 1934

Bronze, height 50.8 cm
Inscription: on base *INVICTUS* and *R. Tait McKenzie 1934*
Collection: University of Pennsylvania
at the Lloyd P. Jones Gallery, Philadelphia

Boxer taking the count

The artist saw his first boxing match in Calgary in 1886 and retained an interest in the sport throughout his life. Joe Brown, the professional boxer who modelled for this piece, worked with McKenzie in his tower studio (and became, eventually, a noted sculptor himself, whose works are now included alongside those of his mentor in the Lloyd P. Jones Gallery at the University of Pennsylvania). *Invictus* is a very satisfying work of sculpture both in the modelling of the heavy body and in the frozen moment between movements that gives the figure its tension and expectation.

Here again is a work satisfying and surprising from various positions, each revealing a different aspect of the anatomy and the mood that contributes to the mystique of the whole work.

16. Invictus, 1934

bronze, 50,8 cm de h.
inscrit : sur la base, *INVICTUS* et *R. Tait McKenzie 1934*
collection de la Lloyd P. Jones Gallery,
université de Pennsylvanie, Philadelphie

Boxeur subissant le compte

L'artiste assista à son premier match de boxe à Calgary en 1886, et il a conservé un intérêt pour ce sport toute sa vie. Joe Brown, le boxeur professionnel qui a posé pour cette oeuvre, a travaillé avec McKenzie dans son atelier à l'université (et il est devenu lui-même par la suite un sculpteur renommé, dont les oeuvres se retrouvent maintenant à côté de celles de son mentor à la Lloyd P. Jones Gallery de l'université de Pennsylvanie). *Invictus* est une oeuvre de sculpture réussie à la fois au niveau du modelage du corps lourd et au niveau du moment choisi, entre deux actions, qui donne l'impression que le personnage est en tension et en attente.

Ici encore, il s'agit d'une oeuvre satisfaisante et surprenante selon chaque point de vue qu'on occupe. Chaque position révèle différents aspects de l'anatomie et de l'atmosphère, qui contribue à l'allure surnaturelle de l'oeuvre.

INVICTUS

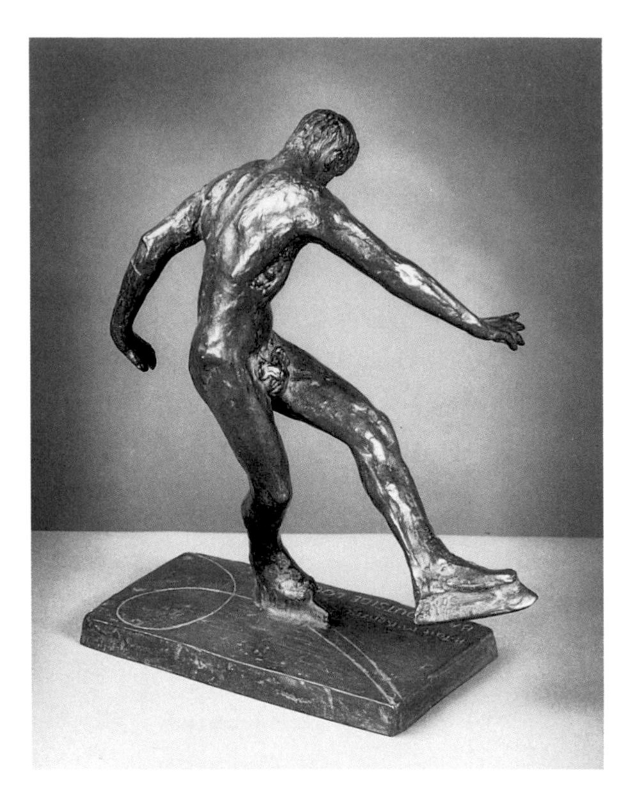

17. Back Outside the Loop 1934

Bronze, height 25.4 cm
Collection: University of Pennsylvania
at the Lloyd P. Jones Gallery, Philadelphia

Compulsory figure in competition

This small figure, unlike the larger *Ice Bird* (fig. 10), is not caught in a graceful, gliding dancer's pose. The difficulty of the configuration, one of the compulsory figures in skating competitions, tends to make the movement, and hence the body, slightly awkward. The positions and varying directions of the hands and feet contribute to this awkwardness, but this is balanced by the moment of intense concentration as the skater executes this precise movement. The sculpture is further enhanced by the obviously rapid working of the clay.

17. Boucle arrière extérieure, 1934

bronze, 25,4 cm de h.
collection de la Lloyd P. Jones Gallery,
université de Pennsylvanie, Philadelphie

Figure obligatoire en compétition

Cette figurine, à l'encontre de *Oiseau de glace* (fig. 10), n'offre pas l'apparence gracieuse du danseur. La difficulté de cette configuration, l'une des figures obligatoires lors des compétitions de patinage artistique, tend à rendre le mouvement, et donc le corps, légèrement gauche. La position et l'orientation des mains et des pieds contribuent à cette impression de maladresse, mais celle-ci est compensée par l'intense concentration requise par le patineur lorsqu'il exécute ce mouvement qui exige beaucoup de précision. La sculpture reçoit son expressivité en grande partie de l'évidente rapidité d'exécution du modelé de glaise.

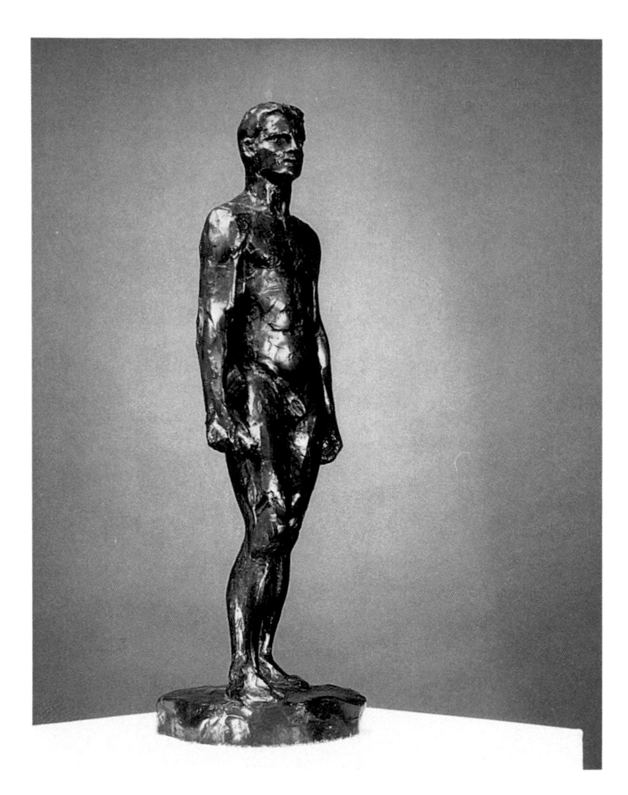

18. Standing Athlete 1936

Bronze, height 43.2 cm
Inscription: on base *TO WESLEYAN UNIVERSITY FROM TAIT McKENZIE* and *SIX HOUR LIFE STUDY WITH COMMENT AND DISCUSSION ON THE CONSTRUCTION OF THE HUMAN FIGURE BY R. TAIT McKENZIE 1936*
Collection: University of Pennsylvania at the Lloyd P. Jones Gallery, Philadelphia

Six Hour Life Study

This is one of the few larger statuettes cast in bronze that can be called a "sketch". The very unfinished quality or rough modelling of the surfaces, however, lends it an immediacy and sensuality. The relaxed position, with one leg taking the weight of the body, and the arms hanging loosely at his sides, is offset by the rapt concentration shown in the face of the model. He was likely a waiting participant, watching his fellow athletes in competition.

It is an interesting work to compare with some of the more finished sculptures in the exhibition.

18. Athlète debout, 1936

bronze, 43,2 cm de h.
inscrit : voir la texte anglais
collection de la Lloyd P. Jones Gallery,
université de Pennsylvanie, Philadelphie

Etudie de six heures

Il s'agit d'une des statuettes de plus grand format moulées en bronze qui peuvent être classées dans la catégorie des « études. » L'aspect non fini, ou le modelage brut des surfaces, cependant, lui confère immédiateté et sensualité. La pose décontractée, une jambe recevant le poids du corps, et les bras pendant de chaque côté, est compensée par la concentration qui se lit sur le visage du modèle. Il est sans doute un participant en attente, qui observe ses collègues en compétition.

Il est intéressant de comparer cette oeuvre à des oeuvres plus finies de l'exposition.

Hors Catalogue

The following works, included in the exhibition, are not illustrated in the catalogue.

19. *"W" (University of Wisconsin)* 1913
Bronze plaque, 22.9 cm high, 12.7 cm wide
Inscription: *PALMAM QVI MERVIT FERAT* and *RMT monogram*
(Relaxed, standing athlete holding a trident, the forks of which form the "W")

20. *Intercollegiate Winter Sports Union* 1926
Bronze plaque, 15.2 cm high, 22.9 cm wide
Inscription: Title and *RMT 1920*
(Figure of a speed skater similar to the central figure in *Brothers in the Wind*, fig. 10)

21. *In Memory of James E. Sullivan (Amateur Athletic Union)* 1930
Bronze medal, 12.7 cm diameter
Inscription: *FOR FINE PERFORMANCE, FOR GOOD SPORTSMANSHIP, AAU, USA, IN MEMORY OF JAMES E. SULLIVAN*

22. *Edward and John* 1932
Bronze medallion, 25.4 cm diameter
Inscription: *RTM* monogram; *MCMXXXII, JOHN AET. VI, EDWARD AET. IX*
(The Fernberger children in profile facing left)

23. *The Punters* 1932–33
Bronze medallion. Galvano. 20.4 cm diameter
Inscription: *RTM Fecit 1932–3*
(A large bronze, 116.8 cm in diameter, is installed in the Lloyd P. Jones Gallery, University of Pennsylvania)
(Three kicking and reaching figures facing left)

24. *Laughing Athlete (satyr?)* 1933
Bronze sketch, 16.5 cm high
Inscription: *R. Tait McKenzie 1933*

25. *Tumbler I and Tumbler II*
Bronze sketches, respectively 5.6 and 5.5 cm high
Inscriptions: respectively *RMT '35* and *RTM '34*
(These amusing grotesques in a variety of poses, were produced by the artist as spoon or knife rests, candlesticks and even a door knocker, from as early as 1919)

26. *Strength and Speed* 1936
Bronze medal, 7.6 cm diameter
Obverse: A shot-putter getting ready for the throw inscribed with *REJOICE OH YOUNG MAN IN THY YOUTH and RTM, the artist's distinctive monogram.*
Reverse: Frieze of running male athletes surmounted by three birds and below a greyhound dog.

27. *University of Pennsylvania Bicentennial (1740–1940) Medal* 1938
Bronze medal, 7.5 cm diameter
Inscription
Obverse: UNIVERSITY OF PENNSYLVANIA, 1740–1940, LEGES VANAE SINE MORIBUS
Reverse: TEMPORIS LUX ACTI ILLUSTRET POSERITATIS VIAM and © *RTM 1938* monogram

Figs. 19, 20 and 21 are in the Lloyd P. Jones Gallery, University of Pennsylvania, Philadelphia
Figs. 22, 23, 24, 25 and 27 are in the collection of the Mississippi Valley Conservation Authority, Mill of Kintail, Almonte, Ontario
Fig. 26 is in the collection of The Montreal Museum of Fine Arts.

Les oeuvres qui suivent, inclues dans l'exposition, ne sont pas illustrées dans le catalogue.

19. *"W" (université du Wisconsin)* 1913
plaque en bronze, 22,9 cm de h., 12,7 cm de l.
inscrit : *PALMAN QVI MERVIT FERAT* et *RMT*
(Athlète debout au repos tenant un trident dont les branches forment le "W")

20. *La Intercollegiate Winter Sports Union*, 1926
plaque de bronze, 15,2 cm de h., 22,9 cm de l.
inscrit : Titre et *RMT 1920*
(Le personnage représente un patineur de vitesse semblable au personnage central de *Frères du vent*, fig. 10)

21. *En mémoire de James E. Sullivan (Amateur Athletic Union)* 1930
inscrit : *FOR FINE PERFORMANCE, FOR GOOD SPORTSMANSHIP, AAU, USA, IN MEMORY OF JAMES E. SULLIVAN*
médaille en bronze, 12,7 cm de diamètre

22. *Edward et John*, 1932
médaillon en bronze, 25,4 cm de diamètre
inscrit : *RTM; MCMXXXII, JOHN AET. VI, EDWARD AET. IX*
(Les enfants de Fernberger vus de profil et regardant vers la gauche)

23. *Les Botteurs de ballon*, 1932-33
médaillon en bronze galvano, 20,3 cm de diamètre
inscrit : *RTM Fecit 1932–3*
(Un bronze de plus grande dimension est installé à la Lloyd P. Jones Gallery, université de Pennsylvanie)
(Trois personnages qui bottent ou attrappent le ballon, tournés vers la gauche)

24. *Athlète riant*, 1933
étude en bronze, 17,8 cm de h.
inscrit : *R. Tait McKenzie 1933*

25. *Culbute I et Culbute II*, 1934 et 1935
études en bronze, respectivement 10,2 et 12,7 cm de h.
(Ces figures fantastiques, dans une variété de poses amusantes, ont été produites dès 1919 par l'artiste pour servir d'appuis-cuillères ou d'appuis-couteaux, de chandeliers ou même de marteau de porte)

26. *Force et Rapidité*, 1936
médaille en bronze, 7,6 cm de diamètre
Face : Un lanceur de poids se préparant au lancer avec l'inscription REJOICE OH YOUNG MAN IN THY YOUTH [Réjouis-toi, oh jeune homme, de ta jeunesse] et RTM, le monogramme de l'artiste.
revers : une frise d'athlètes mâles courant, surmontée par trois oiseaux et, au-dessous, un lévrier.

27. *Médaille pour le bicentenaire de l'université de Pennsylvanie*, 1938
médaille en bronze, 7,6 cm de diamètre
Face : UNIVERSITY OF PENNSYLVANIA, 1740–1940, LEGES VANAE SINE MORIBUS
revers : TEMPORIS LUX ACTI ILLUSTRET POSERITATIS VIAM et © RTM 1938

Les oeuvres illustrées aux fig. 19, 20 et 21 se trouvent à la Lloyd P. Jones Gallery, université de Pennsylvanie, Philadelphie.
Les oeuvres illustrées aux fig. 22, 23, 24, 25 et 27 se trouvent dans la collection du R. Tait McKenzie Memorial Museum, Mill of Kintail, Almonte, Ontario.
L'oeuvre illustrée à la fig. 26 se trouve dans la collection du Musée des beaux-arts de Montréal.